# SÉRIE CLASSIQUE

EXIT

# DR. JEKYLL ET M. HYDE

**Adapté du roman original de Robert Louis Stevenson**

SÉRIE CLASSIQUE

Richard et le secret des livres magiques MC

## DR. JEKYLL ET M. HYDE

**Traduit en français par : Alain Tittley**

**Adapté par :** **Brian Henry**

**Illustré par :** **Susan Moshynski**

 Publié au Canada par : Tribute Publishing Inc., Don Mills, Ontario.
Imprimé au Canada par Imprimeries Québécor. ISBN 1-896298-03-6

*présente*

# DR JEKYLL ET M. HYDE

**Adapté du roman original de Robert Louis Stevenson**

M. Utterson, un avocat célèbre, était grand amateur de théâtre. Timide, il avait tendance à cacher ses sentiments et il ne souriait à peu près jamais. Malgré tout, c'était un homme attachant. Il était très tolérant vis-à-vis des autres, particulièrement ses amis et, lorsque l'un d'eux se retrouvait en difficulté, il avait tendance à l'aider plutôt qu'à le critiquer.

M. Utterson comptait parmi ses amis son cousin Richard Enfield, un gentleman fort connu en ville, qui se couchait rarement avant l'aube. Plusieurs se demandaient ce que ces deux hommes pouvaient bien avoir en commun.

Tous les dimanches, ils avaient l'habitude de se promener dans la ville, et rien au monde ne leur aurait fait manquer ce rendez-vous.

Au cours d'une de leurs promenades, ils se risquèrent dans une petite rue de traverse en plein cœur d'un des quartiers les plus animés de Londres. Les façades des boutiques s'alignaient le long de cette voie publique comme autant de jeunes filles souriantes. Même le dimanche, alors que les échopes étaient pour la plupart fermées, la petite rue brillait, tel un joyau dans un écrin miteux.

Au cœur de cet alignement de jolies boutiques se tenait un bâtiment sinistre ; deux étages de briques d'un gris sévère, sans fenêtres sur la rue et une porte mal entretenue.

Lorsque les deux hommes passèrent devant la porte de cette maison, M. Enfield dit à son ami :

- « Avez-vous déjà remarqué cette porte ? Des événements très étranges se sont déroulés ici.

- Ah oui ?, interrogea M. Utterson. Racontez-moi.

- Eh bien !, commença M. Enfield, alors que je rentrais à la maison par un petit matin d'hiver, je traversai un quartier de la ville où j'aurais bien aimé voir un policier. Tout à coup, j'aperçus deux silhouettes : l'une d'un petit homme qui clopinait à vive allure, l'autre d'une petite fille d'environ huit ans, qui courait de toutes ses jambes sans regarder où elle posait le pied.

Comme il fallait s'y attendre, l'homme et la jeune fille se heurtèrent de plein fouet. C'est alors que se produisit une chose étrange. L'homme piétina calmement le corps de la fillette et poursuivit sa route sans s'arrêter.

Cela semble banal à entendre, mais je vous assure que ce fut très désagréable à regarder. Je m'élançai vers cet homme crapuleux, l'agrippai au collet et le ramenai à l'endroit où sanglotait la fillette, entourée par un groupe de badauds. La famille de la fillette était déjà sur place et un médecin arriva peu de temps après.

Le médecin estima que l'enfant avait eu plus de peur que de mal et qu'il s'agissait tout simplement d'un accident. L'incident aurait pu être clos, mais ce petit homme m'inspirait un dégoût irrépressible que j'étais incapable d'expliquer. La famille de la petite et le médecin réagirent également de la même façon à la présence de cet individu.

Mon prisonnier voyait bien que nous voulions le livrer à la police. C'est sans doute pour cette raison qu'il offrit 100 livres à la famille de l'enfant en guise de dédommagement.

Les parents de l'enfant acceptèrent son offre, mais il fallait aller chercher l'argent. Où croyez-vous que l'homme se rendit ? Devant cette porte morbide !

Il sortit sa clé, entra dans la maison et revint avec 10 livres en argent sonnant et un chèque payable au porteur équivalant à la somme restante.

Le chèque portait une signature que je ne peux révéler. C'était un nom fort connu qu'on retrouvait souvent dans les pages des journaux.

Toute cette affaire me semblait plutôt louche. Comment un homme peut-il passer une porte et en ressortir avec un chèque de quelque 100 livres, signé de la main d'un autre ?

Je restai jusqu'au matin en compagnie du médecin, du père de l'enfant et de l'homme étrange pour m'assurer que le chèque était valide. Lorsque la banque ouvrit ses portes, je remis le chèque au caissier en lui soulignant que j'avais de bonnes raisons de croire que celui-ci était un faux. Eh bien, pas du tout ! Le chèque était bel et bien authentique.

- Allons donc !, s'exclama M. Utterson qui avait écouté l'histoire sans dire un mot.

- Je vois que vous pensez comme moi, dit M. Enfield. L'histoire est d'autant plus étrange que l'homme qui a signé ce chèque n'est nul autre que le Dr Jekyll, un de vos bons amis. »

Les deux hommes continuèrent leur balade en silence jusqu'à ce que M. Utterson demande :

- « Quel était le nom de l'homme qui a bousculé la fillette ?

- Il s'appelait Hyde, répondit M. Enfield.

- Je vois, dit M. Utterson. Mais, dites-moi, quel genre d'homme était-il ?

- Difficile à décrire, pousuivit Enfield. Disons simplement que son apparence avait quelque chose de déplaisant, de fondamentalement repoussant. En fait, je n'ai jamais rencontré un homme aussi répugnant. Je ne sais absolument pas pourquoi. »

Utterson, qui réfléchissait en silence, demanda :

- « Êtes-vous certain qu'il a utilisé une clé ?

- Ma foi... dit M. Enfield.

- Je sais, expliqua M. Utterson, c'est une étrange question, mais je connais bien le gentleman qui a signé le chèque et je suis curieux de comprendre ce qui s'est vraiment passé. Vous comprenez, s'il fallait que vous ayez commis une erreur en rapportant les faits...

- Je comprends votre position, répondit Enfield, mais tous les détails de cette histoire sont rigoureusement exacts. L'homme avait bel et bien une clé. Qui plus est, il l'a encore. Je l'ai vu ouvrir cette porte il y a à peine une semaine ! »

## À LA RECHERCHE DE M. HYDE

Ce soir-là, M. Utterson rentra chez lui de sombre humeur. Dès qu'il eut terminé son repas, il prit une chandelle et se dirigea vers son cabinet de travail. Il ouvrit un coffre-fort et en sortit le testament du Dr Henry Jekyll, son ami de longue date.

Le testament stipulait que le docteur cédait tous ses biens à « *son ami et bienfaiteur, Edward Hyde* », non seulement en cas de décès, mais également en cas de disparition ou d'absence prolongée.

Lorsque Henry rédigea ceci, je savais que c'était pure folie, pensa M. Utterson. Aujourd'hui, je crains que ce ne soit vrai.

Sur ce, il souffla la chandelle, enfila un manteau et se dirigea vers Cavendish Square, où habitait et officiait son ami, le grand Dr Lanyon. Si quelqu'un devait savoir quelque chose sur cette affaire, c'était bien le Dr Lanyon.

Le majordome du médecin reconnut M. Utterson et le conduisit dans la pièce où se trouvait le Dr Lanyon. Le médecin était un bon vivant aux manières impétueuses. Dès qu'il vit M. Utterson, il sauta de sa chaise et lui souhaita chaleureusement la bienvenue.

Tranquillement, l'avocat dirigea la conversation sur le sujet qui le préoccupait tant.

- « Je crois, Dr Lanyon, que vous et moi sommes les deux plus vieux amis du Dr Jekyll ? lança-t-il.

- Oui, mais je dois avouer que je ne vois que très rarement le Dr Jekyll depuis quelque temps, répondit le docteur.

- Vraiment ?, dit M. Utterson. Je croyais que vous partagiez un intérêt commun pour la science.

- Nous en avions un, mais cela remonte à plus de 10 ans. Bien sûr, je continue à suivre ses recherches, mais je dois vous avouer que je ne le vois presque plus. Vous auriez du mal à croire les absurdités scientifiques que le Dr Jekyll débitait !

- Avez-vous déjà rencontré un certain M. Hyde ? demanda M. Utterson.

- Hyde ?, répéta le Dr Lanyon. Non. Je n' ai jamais entendu ce nom. »

L'avocat ne put obtenir davantage de précisions de la part du Dr Lanyon. Captivé par l'étrangeté de toute cette histoire, Utterson n'avait qu'une idée en tête : rencontrer ce fameux M. Hyde !

Dès le lendemain, Utterson se mit à rôder dans les parages de la sinistre maison dans l'intention de croiser l'homme qui avait inspiré tant de dégoût à son ami Enfield.

Finalement, sa patience fut récompensée. Il n'y avait pas deux minutes que M. Utterson se trouvait à son poste, qu'il entendit un étrange bruit de pas qui venait vers lui. Convaincu que sa longue attente tirait à sa fin, il se cacha sous un porche.

Les pas mystérieux se rapprochaient rapidement. Lorsque Hyde déboucha dans la rue, l'avocat vit tout de suite à quel genre d'homme il avait affaire. Il était de petite taille et, même de loin, son apparence avait quelque chose de repoussant. Lorsqu'il arriva devant la porte de la maison, il retira une clé de sa poche.

M. Utterson sortit de sa cachette et le toucha à l'épaule.

- « Ne seriez-vous pas M. Hyde par hasard ? », demanda-t-il au petit homme.

Hyde se dégagea en poussant un sifflement, un peu comme une

bête effarouchée. Il changea rapidement d'attitude et, bien qu'il ne regarda pas son interlocuteur en face, il répondit calmement :

- « C'est bien le nom que je porte. Que puis-je faire pour vous ?

- Je vois que vous vous apprêtez à entrer dans la maison du Dr Jekyll. Je suis M. Utterson, un vieil ami du docteur. Je dois vous avouer que je vous rencontre à un moment fort opportun, je dois justement parler au Dr Jekyll.

- Le Dr Jekyll n'est pas à la maison ! dit-il sèchement. Il est parti en voyage. »

Puis, soudainement, se retournant vers Utterson, Hyde demanda :

- « Comment savez-vous mon nom ?

- Si je vous le dis, me permettrez-vous de voir votre visage ? »

M. Hyde hésita un instant puis il leva la tête avec fierté et plongea son regard dans celui de son interlocuteur. Les deux hommes restèrent ainsi sans bouger pendant quelques secondes. Le visage qu'Utterson regardait était celui d'un monstre !

- « Maintenant, si je vous croise dans la rue je pourrai vous reconnaître, dit Utterson, visiblement mal à l'aise.

- Oui, répondit Hyde. Je suis heureux de vous avoir rencontré. Permettez-moi de vous laisser également mon adresse. »

Sur ce, il lui remit un petit bout de papier sur lequel était inscrite une adresse du quartier de Soho.

- « Grand Dieu ! pensa Utterson. Pourquoi croit-il que je devrais avoir son adresse ? Connaît-il le contenu du testament du Dr Jekyll ?

- Mais dites-moi, M. Utterson, comment m'avez-vous reconnu ?

- Par une simple description, répondit l'avocat.

- Et par qui vous fut donnée cette description ?, répliqua Hyde.

- Nous avons des amis communs, répondit Utterson. Le Dr Jekyll, par exemple.

- Le Dr Jekyll ne vous a jamais rien dit ! s'exclama Hyde en colère. Je n'aurais pas cru que vous étiez un menteur ! »

Soudain, vif comme l'éclair, il ouvrit la porte et s'engouffra dans la maison.

L'avocat était bouleversé. Tout comme son ami, Enfield, M. Utterson éprouva du dégoût dès qu'il aperçut le petit homme, mais il ne savait trop pourquoi. Pour en avoir le cœur net, il décida d'aller frapper à la porte principale de la maison. Un majordome, élégamment vêtu, ouvrit.

- « Bonjour, M. Poole. Le Dr Jekyll est-il à la maison ?, demanda l'avocat.

- Non, monsieur. Il est sorti.

- J'ai vu M. Hyde entrer par la porte du laboratoire à l'arrière, dit l'avocat. Croyez-vous que cela soit en règle lorsque le docteur n'est pas à la maison ?

- Tout est en règle, M. Utterson, répondit le majordome. M. Hyde possède une clé et nous devons lui obéir. »

Utterson souhaita une bonne nuit au majordome et se dirigea rapidement vers chez lui.

« Pauvre Dr Jekyll, pensa-t-il. Il était un peu frivole dans son jeune temps. Je me demande bien si ce M. Hyde n'est pas en train de lui faire payer quelque vieux péché.

« Si ce M. Hyde connaît le contenu du testament, il sera peut-être impatient de voir le Dr Jekyll disparaître... »

## LE DR JEKYLL AVAIT L'ESPRIT TRANQUILLE

Deux semaines plus tard, M. Utterson reçut une invitation à souper chez le Dr Jekyll. Il se rendit chez son ami avec la ferme intention de faire la lumière sur cette histoire. Après le repas, alors qu'ils étaient tous deux assis près du feu, Utterson dit :

- « J'aimerais obtenir des renseignements sur votre ami M. Hyde. »

Le Dr Jekyll était un homme grand et costaud, mais il avait bon caractère. Lorsqu'il entendit ces paroles, son visage devint livide et un voile assombrit son regard.

- « Je ne veux pas entendre parler de cet homme, répondit-il.

- Mais ce que j'ai appris à son sujet est horrible!, répliqua Utterson.

- Ce que vous avez entendu me laisse totalement indifférent, lança le Dr Jekyll. Cela ne changera en rien mes rapports avec lui. Vous ne savez pas dans quelle position je me trouve, mais je vous prie de me faire confiance.

- Vous me connaissez depuis longtemps, dit M. Utterson. Je suis un homme de confiance. Vous pouvez tout me dire. Je suis persuadé que je peux vous sortir du pétrin.

- Mon cher Utterson, dit le docteur, je vous ferais confiance avant toute autre personne sur cette planète. Mais ce n'est pas ce que vous croyez. Sachez tout simplement qu'au moment opportun, je pourrai me débarasser de M. Hyde. »

M. Utterson fixa les flammes dans l'âtre pendant un bref moment et dit en se levant brusquement :

- « Parfait !

- Puisque nous avons abordé le sujet, pour la dernière fois je l'espère, dit le Dr Jekyll, il y a un point que je souhaiterais vous faire comprendre. Je sais que vous avez vu le pauvre M. Hyde, il me l'a dit. Je crains d'ailleurs qu'il n'ait été grossier avec vous. Sachez que je porte un très grand intérêt à ce jeune homme. Si je devais disparaître, Utterson, il faudra lui remettre tout ce que je possède, exactement comme je l'ai consigné dans mon testament. Je compte sur vous pour que cette clause soit respectée.

- Honnêtement, je ne crois pas qu'un jour j'arriverai à aimer ce personnage, mais vos volontés seront respectées, affirma l'avocat.

- Je ne vous demande que de l'aider, si jamais je venais à disparaître, dit le Dr Jekyll.

- Très bien, dit Utterson en soupirant, je vous donne ma parole. »

LE MEURTRE DE SIR CAREW

Un an plus tard, au mois d'octobre de l'an 1885, Londres fut secouée par l'annonce d'un meurtre atroce. Le crime était d'autant plus remarquable que la victime occupait une position sociale importante.

Une femme, qui était assise sur le rebord de sa fenêtre, la nuit du crime, vit tout ce qui s'était passé. Elle avait remarqué un homme âgé qui marchait le long d'une sombre ruelle. Un autre homme, nettement plus jeune et beaucoup plus petit, s'approcha du vieillard pour lui parler. C'était M. Hyde.

Sans crier gare, Hyde s'élança sur le vieil homme dans un accès de rage aussi brutale qu'imprévisible. Le vieil homme recula, surpris, mais M. Hyde le frappa avec sa canne. Puis il piétina sa victime en la rouant de coups. Devant l'horreur de la scène, la femme s'évanouit.

Il était deux heures du matin lorsqu'elle reprit conscience et appela la police. On ne trouva aucune pièce d'identité sur la victime. L'homme avait, par contre, dans une des poches de son veston, une enveloppe sur laquelle était inscrite l'adresse de M. Utterson.

Comme il fallait s'y attendre, l'avocat fut convoqué au poste de police pour identifier le corps de la victime. Dès qu'Utterson posa les yeux sur le corps, il reconnut l'homme.

- « Oui, dit l'avocat, je peux l'identifier. J'ai le regret de vous apprendre que la victime est Sir Danvers Carew.

- Grand Dieu !, » s'exclama l'officier de police lorsqu'il connut l'identité de la victime. Il raconta brièvement à l'avocat qu'une femme avait vu M. Hyde, l'ami du Dr Jekyll, commettre le meurtre.

Utterson devint blême en entendant le nom de M. Hyde.

- « Venez avec moi, dit-il. Je crois pouvoir vous conduire à la maison du meurtrier. »

En arrivant à l'adresse que M. Hyde avait donnée à Utterson lors de leur première rencontre, une vieille femme au visage diabolique ouvrit la porte. Elle confirma que M. Hyde habitait bien là, mais expliqua qu'il était sorti.

- « Nous désirons voir ses appartements, dit l'avocat.

- C'est impossible ! affirma la vieille femme.

- Je dois vous dire, expliqua Utterson, que la personne qui m'accompagne est un inspecteur de Scotland Yard.

- M. Hyde est-il dans le pétrin ?

- Maintenant, bonne dame, laissez-nous entrer », dit l'inspecteur de police.

La maison de M. Hyde respirait le luxe et était décorée avec goût. Une belle grande toile, accrochée à un mur, attira l'attention de M. Utterson. Il supposa que c'était là un cadeau d'Henry Jekyll, un fin connaisseur d'art.

Par contre, on pouvait facilement constater que toutes les

pièces avaient été l'objet d'une fouille hâtive. Des vêtements étaient déposés sur le plancher et les tiroirs des meubles étaient ouverts. Au cœur de la maison reposait un tas de cendres, comme si on avait brûlé de nombreux documents. Parmi ces cendres, l'inspecteur trouva les restes d'un chéquier.

Une visite à la banque confirma que le suspect possédait un crédit de plusieurs milliers de livres.

- « Il doit sûrement avoir perdu la tête, dit l'inspecteur à M. Utterson, sinon il n'aurait jamais détruit le carnet de chèques. Sans argent, il ne peut survivre très longtemps. Il ne reste plus qu'à l'attendre. »

Mais le sinistre M. Hyde ne revint jamais chercher son argent. On le rechercha dans toute l'Angleterre, sans jamais le retrouver...

## L'ÉPISODE DE LA LETTRE

Pour en savoir plus long sur ce meurtrier crapuleux, Utterson se rendit chez le Dr Jekyll. Poole, le majordome, lui ouvrit et le mena à travers la cour intérieure jusqu'au bâtiment qui servait de laboratoire au médecin. L'endroit était encombré de tables qui croulaient sous le poids d'instruments de chimie.

Tout au fond, on pouvait apercevoir un escalier qui menait à une porte derrière laquelle se trouvait le bureau du Dr Jekyll. C'était une grande pièce décorée avec goût. Trois fenêtres poussiéreuses, protégées par des grilles de métal, donnaient sur la cour intérieure. Le Dr Jekyll, qui avait l'air diablement malade, était assis près de la cheminée.

- « Vous avez entendu les nouvelles ? demanda Utterson dès que M. Poole eut quitté la pièce.

- Les camelots annoncent la nouvelle à pleine rue, répondit le Dr Jekyll.

- Sir Carew était mon client, dit l'avocat, et je ne sais trop quoi faire. Dites-moi que vous n'êtes pas assez fou pour avoir caché cet infâme M. Hyde ?

- Je le jure devant Dieu, supplia le docteur. Je ne veux plus jamais revoir M. Hyde. C'est terminé. D'ailleurs, il n'a pas besoin de mon aide. Il est en sécurité. Écoutez-moi, Utterson. Plus personne n'entendra jamais parler de cet assassin. Vous devez toutefois me donner votre avis. J'ai reçu une lettre dernièrement et je ne sais si je dois la montrer à la police. J'aimerais, en fait, vous la confier.

- Faites-moi voir cette lettre, dit l'avocat. »

La lettre était signée « *Edward Hyde* ». En lisant la lettre, Utterson se rendit compte qu'il s'était trompé en pensant que Hyde faisait chanter Jekyll. Le ton de la lettre laissait entendre que Jekyll avait pris Hyde sous sa protection par pure bonté et qu'il avait été abusé.

- « Est-ce M. Hyde qui vous a dicté ce que vous m'avez fait écrire dans votre testament ? », demanda Utterson.

Les lèvres serrées, le Dr Jekyll fit signe que oui.

- « Je le savais, dit Utterson. Il voulait vous assassiner pour hériter de tous vos biens Vous l'avez échappé belle ! »

Le lendemain, Utterson se rendit chez M. Guest, le chef commis de son cabinet d'avocats. M. Guest se passionnait, entre autres, pour la graphologie.

- « Quelle triste histoire que l'assassinat de ce pauvre Sir Carew, dit Utterson en rentrant au bureau.

- En effet, monsieur, répondit Guest, le meurtrier devait être fou à lier.

- Vous croyez ?, questionna Utterson. J'ai ici une note rédigée de sa main qui devrait vous intéresser. Elle porte la signature d'un meurtrier ! »

Le visage de Guest s'éclaira et il se mit à étudier la lettre avec intérêt.

- « Non, dit-il enfin, ce n'est pas l'écriture d'un fou. J'aurais pourtant juré... »

Au même moment, un serviteur entra avec un billet qu'il remit à M. Utterson.

Après avoir jeté un regard furtif sur la note que tenait son patron, Guest demanda à Utterson :

- « Ce billet est-il du Dr Jekyll ? Il me semble reconnaître l'écriture. Puis-je y jeter un coup d'œil ?

- Il s'agit d'une simple invitation à dîner. Vous pouvez l'examiner si vous voulez. »

Le commis saisit l'invitation du Dr Jekyll et la compara avec la note du meurtrier. Il y eut un silence.

- « Pourquoi comparez-vous ces deux lettres ? demanda Utterson.

- C'est que, répondit M. Guest, les deux signatures sont presque identiques. La seule différence se trouve dans l'inclinaison des lettres. »

Utterson n'y comprenait rien. Le Dr Henry Jekyll avait-il forgé une lettre au profit d'un assassin ? Il n'osait croire à une telle imposture.

## UN ÉVÉNEMENT IMPORTANT POUR LE DR LANYON

On avait offert des milliers de

livres sterling pour la capture de M. Hyde, mais il restait introuvable. Maintenant que M. Hyde était disparu, il semblait qu'une nouvelle vie commençait pour le Dr Jekyll.

Il voyait ses amis plus souvent. Son visage semblait s'épanouir. Et, s'il avait toujours eu la réputation d'être charitable, on le considérait maintenant comme un homme aussi pieux que généreux. Utterson et le Dr Lanyon dinaîent souvent chez Jekyll comme au bon vieux temps où ils formaient un trio inséparable. Puis, sans trop savoir pourquoi, le Dr Jekyll cessa de voir ses amis. Quand Utterson se présentait chez lui pour s'enquérir de son état de santé, on lui fermait la porte au nez.

Ennuyé par ce revirement subit de comportement, Utterson se rendit chez le Dr Lanyon pour en discuter avec lui. Dès son arrivée, il fut frappé par la mine transformée de son ami. Il était pâle et il avait les traits tirés. Dans ses yeux, Utterson pouvait déceler une expression de profonde terreur.

- « J'ai été témoin d'une chose abominable, dit Lanyon à son ami. Tellement abominable que je n'ai plus envie de vivre. Dans quelques semaines tout au plus, je serai mort. Je ne peux plus vivre avec ce terrible secret.

- Quel secret ? s'écria Utterson. Concerne-t-il le Dr Jekyll ? Saviez-vous que lui aussi est malade ? »

Lanyon changea d'expression et, levant une main tremblante, déclara : « Je ne veux plus jamais voir le Dr Jekyll, ni en entendre parler. Je coupe définitivement les liens avec cet individu. »

Utterson était bouleversé. Il n'en croyait pas ses oreilles. Que s'était-il passé ? Lanyon poursuivit son explication.

- « Un jour, après ma mort, vous pourrez distinguer le vrai et le faux dans cette histoire. Je ne peux en dire plus à présent. »

Une semaine plus tard, le Dr Lanyon était alité et, quelques jours plus tard, il mourut.

La nuit après les funérailles du Dr Lanyon, Utterson s'enferma à clé dans son bureau et ouvrit une lettre que lui avait adressée Lanyon avant de mourir. Sur l'enveloppe, on pouvait lire : « *Confidentiel, à l'usage exclusif de J.G. Utterson.* » Sous cette mention, Lanyon avait ajouté : « *Si J.G. Utterson venait à mourir avant moi, ce pli doit être détruit sans être lu.* »

Utterson décacheta l'enveloppe et en trouva une deuxième à l'intérieur. Sur celle-ci, Lanyon avait inscrit : « *Ne pas ouvrir avant la mort ou la disparition du Dr Henry Jekyll.* »

Utterson pouvait à peine en croire ses yeux. Le contenu de cette enveloppe ressemblait en tout au testament insensé que lui avait remis le Dr Jekyll, et qu'il lui avait retourné depuis longtemps.

Utterson était convaincu que c'était Hyde qui avait rédigé le testament du Dr Jekyll, mais maintenant, il n'en était plus certain.

La lecture de la lettre du Dr Lanyon avait profondément bouleversé l'avocat. Il se mit à avoir peur chaque fois qu'il pensait à son ami le Dr Jekyll. Pour se rassurer, il tenta plusieurs fois de lui rendre visite, mais on lui refusait l'entrée à chaque fois.

Finalement, Utterson cessa de rendre visite au Dr Jekyll puisqu'on ne le laissait jamais entrer. L'avocat vit quand même son ami une dernière fois...

Lors d'une de leurs promenades du dimanche, messieurs Utterson et Enfield traversaient le square sur lequel donnait le bureau du Dr Jekyll. Ils l'aperçurent à la fenêtre et le saluèrent chaleureusement. Jekyll était très content de voir ses amis, mais il refusa de sortir ou de les inviter à entrer. Utterson et Enfield conversaient avec le Dr Jekyll à travers la fenêtre lorsque soudain, le sourire du médecin quitta son visage et fut remplacé par une expression de terreur et de désarroi. Il disparut en une fraction de seconde.

## LA DERNIÈRE NUIT

Un soir, alors qu'il était installé au coin du feu dans sa paisible demeure, Utterson eut la surprise de recevoir la visite de M. Poole, le majordome du Dr Jekyll.

- « M. Utterson, dit Poole, il se passe quelque chose d'anormal à la maison.

- Asseyez-vous, dit l'avocat, et expliquez-moi simplement ce que vous voulez dire.

- Vous connaissez les habitudes du docteur, répondit Poole, et cette manie qu'il a de s'enfermer. Cette fois, il se passe quelque chose de très étrange, M. Utterson. Je suis très inquiet pour le Dr Jekyll.

- Allons, dit Utterson, votre imagination vous joue des tours.

- Je crois qu'il est arrivé malheur au Dr Jekyll, dit Poole.

- Malheur !, s'écria l'avocat. Que voulez-vous dire ?

- Je ne sais pas très bien, monsieur. Je vous en supplie, venez avec moi à la maison. »

Pour toute réponse, Utterson se leva, prit son manteau et fit signe à Poole de le suivre. Dès qu'ils furent arrivés devant la maison du Dr Jekyll, Poole déclara :

- « Nous y sommes, monsieur. Espérons par le ciel qu'il n'est rien arrivé.

- Ainsi soit-il », dit l'avocat.

Sur ce, le valet frappa doucement à la porte. La porte s'entrouvrit et une voix demanda : « Est-ce vous, Poole ?

- Ne vous inquiétez pas, dit Poole, et laissez-nous entrer. »

À l'intérieur, tous les serviteurs se tenaient serrés autour de l'âtre de la cheminée.

- « Comment, dit l'avocat, pourquoi êtes-vous tous ici ? Votre maître sera fort mécontent s'il vous trouve ainsi !

- Ils sont tous terrorisés, expliqua Poole en sommant M. Utterson de le suivre. Ils se rendirent à travers la cour arrière jusqu'à la porte du laboratoire.

- Je dois vous avertir, monsieur, dit Poole, avant que nous ne soyons rendus à la porte de son bureau. Si jamais il vous invitait, n'entrez surtout pas. »

Le valet pénétra le premier dans le laboratoire. Il fit signe à Utterson de le suivre, monta jusqu'au bureau de Jekyll et frappa à la porte.

- « Docteur, annonça Poole, il y a là M. Utterson qui désire vous voir.

- Dites-lui que je ne veux voir personne.

- Très bien, monsieur, répondit Poole. »

Devant ce refus catégorique, les

deux hommes se rendirent à la cuisine pour discuter de la situation.

- « Monsieur, demanda Poole en fixant Utterson dans les yeux, était-ce la voix de mon maître ?

- Elle m'a semblé très changée, répondit l'avocat.

- Très changée ! rétorqua le valet. Je sers dans cette maison depuis 20 ans. Ce n'était pas la voix de mon maître. Non, monsieur ! Le Dr Jekyll a été tué ! Il a été tué il y a 8 jours quand nous l'avons entendu implorer le nom de Dieu.

- Vous en êtes sûr ? demanda Utterson en se mordant les doigts. Franchement, si le Dr Jekyll a été tué, pourquoi le meurtrier resterait-il sur les lieux ? Ce n'est pas logique.

- Le docteur écrivait parfois ses instructions sur une feuille de papier qu'il lançait dans les marches de son bureau, expliqua Poole. Cette semaine, les messages m'envoyaient chez tous les pharmaciens de la ville en quête de quelque médicament. Chaque fois que je rapportais ce que mon maître avait commandé, je trouvais une autre note m'ordonnant de retourner ce produit parce qu'il n'était pas assez pur.

- Avez-vous conservé ces billets ? » demanda Utterson.

Poole fouilla dans ses poches et remit une note chiffonnée à l'avocat. On pouvait y lire : « *Le dernier échantillon que vous avez envoyé est impur et inutile. Il y a quelques années, j'ai acheté une forte quantité de cette poudre auprès de votre compagnie. Je vous supplie aujourd'hui de faire l'impossible pour me procurer un produit de la même qualité. Lorsque vous aurez trouvé, faites-moi parvenir le produit immédiatement ! Le prix n'a pas d'importance. Pour l'amour de Dieu, trouvez ce dont j'ai besoin !* »

- « Tout cela me semble très étrange, dit Utterson à M. Poole. Ce billet semble bien avoir été écrit de la main de Jekyll. N'est-ce pas là son écriture ?

- Son écriture ! Mais quelle importance ? cria Poole, Je l'ai vu !

- Vous l'avez vu ? répéta Utterson.

- Voilà comment ça s'est passé, expliqua Poole. Je suis entré sans avertir dans le laboratoire. Le docteur a poussé un cri et s'est sauvé dans son bureau. Monsieur, si c'était là mon maître, pourquoi portait-il un masque sur son vi-

sage ? Si c'était mon maître, pourquoi s'est-t-il enfui ?

- Il se passe ici des choses vraiment bizarres, dit Utterson, mais je crois que je commence à comprendre. Votre maître souffre sans doute d'un dérangement de l'esprit. Il est devenu fou. Voilà pourquoi il cherche désespérément ce médicament : il espère se guérir lui-même.

- Monsieur, dit le valet en rougissant, cette *chose* n'était pas mon maître ! Mon maître est fort, grand et de belle apparence. Cette *chose* ressemblait plutôt à un nain ! Dieu seul sait ce qu'était cette chose, mais ce ne pouvait être le Dr Jekyll. Du fond de mon cœur, je crois qu'on a commis un meurtre, déclara Poole.

- Monsieur Poole, reprit l'avocat, si c'est ce que vous croyez, il est de mon devoir de m'en assurer. Il va falloir abattre cette porte.

- Voilà qui est bien dit ! s'écria le majordome. Allons-y ! Il y a une hache au laboratoire. Prenez le tisonnier de la cuisine pour vous défendre. »

L'avocat saisit le lourd instrument dans ses mains.

- « Vous rendez-vous compte, Poole, dit-il, que nous risquons de courir un grave danger ?

- Oui, monsieur, dit-il.

- Alors, soyons sincères, dit l'avocat. Ce visage que vous avez vu, l'avez-vous reconnu ?

- Eh bien, monsieur, tout cela s'est passé si vite et la créature était tellement repliée sur elle-même, que je ne pourrais jurer. Je crois que c'était M. Hyde ! Il y avait quelque chose d'étrange chez cet homme, quelque chose qui vous glaçait, vous enrageait et vous effrayait tout à la fois. Cette impression me glaçait parfois les veines. Oh ! je sais bien que ce n'est pas une preuve suffisante, M. Utterson, mais un homme a parfois des pressentiments. Je pense toutefois que c'était M. Hyde !

- Je vous crois, Poole, dit l'avocat. Je crois que ce pauvre Henry a été tué, et je crois aussi que son meurtrier rôde encore dans son bureau. Venez, vengeons ce malheureux Jekyll ! »

Saisissant le tisonnier sous son bras, Utterson se dirigea vers le laboratoire suivi de Poole. Ils s'arrêtèrent à la porte pour écouter. Seuls des pas allant et venant sur le plancher du bureau rompaient le silence.

- « Il se promène comme ça toute la journée, murmura Poole.

- Il n'y a jamais d'autres bruits ? demanda Utterson.

- Une fois, répondit le majordome, je l'ai entendu sangloter. Cela faisait tellement pitié que j'en ai presque pleuré. »

Poole dégagea la hache cachée sous un ballot de paille. Ils déposèrent leurs chandelles sur une table pour éclairer leur assaut.

- « Jekyll !, cria Utterson d'une voix forte. J'exige de vous voir ! »

Aucune réponse.

- « Je vous aurai prévenu, poursuivit l'avocat. Mes doutes sont trop forts et rien ne m'empêchera de vous voir. Si ce n'est pas de votre plein gré, ce sera par la force !

- Utterson, dit la voix derrière la porte. Pour l'amour de Dieu, pitié ! »

M. Utterson s'écria : « Ce n'est pas la voix de Jekyll, c'est celle de Hyde ! Poole, abattons la porte ! »

Poole fit tournoyer la hache au-dessus de ses épaules. Le coup fit trembler le bâtiment. Du bureau parvint un hurlement de terreur, qui ressemblait plus au cri d'une bête fauve qu'à celui d'un humain. Encore et encore, la hache s'abattit sur la porte pour en faire sauter les gonds, mais le bois était dur et l'installation solide. Enfin, au cinquième coup, le loquet céda et la porte s'effondra vers l'intérieur, sur le tapis.

Les assaillants avancèrent d'un pas et cherchèrent Hyde du regard.

Le bureau s'étalait sous leurs yeux. Il y avait un bon feu dans la cheminée et, près de l'âtre, on semblait préparer le thé. Tout avait l'air tellement normal !

Au beau milieu du bureau gisait le corps d'un homme. Poole et Utterson s'en approchèrent, le retournèrent sur le dos et reconnurent le visage d'Edward Hyde. Il portait des vêtements beaucoup trop grands pour lui.

- « Nous sommes arrivés

trop tard, dit l'avocat tristement. Hyde s'est suicidé. Il ne nous reste plus qu'à retrouver le corps du Dr Jekyll qu'il a sans doute assassiné. »

Ils fouillèrent le bureau, puis le laboratoire. Aucune trace de Henry Jekyll.

Poole tapa du pied sur les dalles du corridor qui menait vers la porte arrière du bâtiment.

- « Il doit être enterré là-dessous, dit-il.

- Vraiment Poole, cela me dépasse, murmura Utterson. Retournons jeter un coup d'œil dans le bureau. »

Ils gravirent les marches en silence. Puis, jetant un regard craintif de temps en temps sur le cadavre de Hyde, ils se mirent à fouiller le bureau avec soin. Sur une table, des quantités mesurées d'un sel blanc remplissaient plusieus soucoupes de verre.

- « C'est cette drogue que je lui rapportais depuis quelque temps », déclara Poole.

Ensuite, les deux hommes s'approchèrent du bureau de travail. Sur un amas de documents, ils découvrirent une enveloppe adressée à M. Utterson. L'avocat la décacheta et deux lettres s'en échappèrent.

La première disait : « *Mon cher Utterson, quand vous lirez ceci, je serai mort. Pour comprendre ce qui s'est passé, vous devez lire la missive que Lanyon vous a laissée et qui ne devait être ouverte qu'après ma mort. Si vous voulez en savoir plus long, alors lisez la confession de votre indigne et malheureux ami, Henry Jekyll, qui accompagne la lettre que vous avez entre les mains.* »

L'avocat mit dans sa poche l'enveloppe épaisse qui contenait la confession du docteur Jekyll.

- « Je ne parlerai pas de ces papiers, Poole, dit Utterson. Si votre maître a fui ou s'il est mort, nous aurons peut-être encore à préserver sa mémoire. Il est maintenant 22 heures. Je dois rentrer chez moi et lire ces documents, mais je serai de retour avant minuit. Nous appellerons alors les policiers. »

## LA LETTRE DU Dr LANYON

Une fois rendu chez lui, Utterson décacheta la lettre que lui avait laissée le Dr Lanyon. Elle racontait ceci :

*« Il y a quatre jours, j'ai reçu par le courrier du soir une lettre de mon confrère médecin et ancien camarade d'école Henry Jekyll. Elle disait :*

***« Mon cher Lanyon, vous êtes l'un de mes plus vieux cama-***

**rades. Nous avons peut-être connu des divergences sur des questions scientifiques, mais sommes restés amis. Maintenant, ma vie, mon honneur et ma raison sont entre vos mains. Je vous demande de sauter dans une voiture et de venir chez moi. Poole, mon majordome, vous attendra en compagnie d'un serrurier. Forcez la porte de mon bureau puis pénétrez-y, seul. Ouvrez l'armoire qui se trouve à gauche et prenez le quatrième tiroir du haut. Vous serez certain d'avoir le bon tiroir parce qu'il contient une poudre, une fiole et un carnet. Je vous demande de rapporter ce tiroir et tout son contenu chez vous.**

**À minuit, quand tous vos domestiques seront couchés, un homme viendra récupérer le contenu du tiroir en question. Cinq minutes plus tard, si vous insistez pour avoir une explication, vous l'obtiendrez.**

**Sauvez-moi, mon cher Lanyon. Votre ami, Henry Jekyll. »**

Utterson poursuivit sa lecture.

*« Lorsque j'ai lu cette lettre de mon ami Jekyll, j'ai bien pensé qu'il était devenu fou. Mais jusqu'à preuve du contraire, je me suis senti obligé de respecter sa demande. J'ai pris un taxi et me suis rendu directement à la maison de Jekyll. Le majordome m'attendait. Il avait reçu, lui aussi, une lettre d'instructions et avait fait venir un serrurier.*

*Lorsque la porte du bureau fut ouverte, je pris le tiroir de l'armoire et revins chez moi où j'examinai son contenu. Les poudres que j'y trouvai semblaient être des sels cristallins et la fiole contenait un liquide rouge sang. Quant au carnet, il renfermait principalement une série de dates qui se terminait abruptement il y a environ un an. Sous certaines des dates, il y avait quelques notes brèves, habituellement un seul mot : « Doubler », « Tripler. »*

*Comment les articles de ce tiroir pouvaient-ils sauver la raison ou la vie de Jekyll ? Je n'en savais rien. Et pourquoi l'envoyé de Jekyll venait-il me voir à minuit ? Plus je réfléchissais, plus il m'apparaissait que j'avais affaire à un cas de maladie mentale. C'est pourquoi, bien qu'ayant remercié mes domestiques à l'heure habituelle, je chargeai un vieux révolver pour me protéger.*

*Les cloches de l'église venaient tout juste de sonner minuit lorsque j'entendis quelqu'un frapper doucement à ma porte. J'ouvris. Un petit homme était accroupi près des piliers du balcon.*

*- Vous venez pour le Dr Jekyll ? lui demandai-je.*

*- Oui, me répondit-il, en regardant derrière lui.*

*Il y avait un gendarme dans le square. En le voyant, mon visiteur se précipita dans la maison.*

*Je pus alors voir le visiteur en pleine lumière. Il portait des vêtements beaucoup trop grands pour lui. Il y avait quelque chose de bizarre dans la façon dont il était habillé — quelque chose qui vous donnait la chair de poule et vous glaçait le sang. Je compris que ce curieux bonhomme était la créature que l'on nommait M. Hyde.*

*Pendant que je le regardais, mon visiteur se livrait à un examen en règle de mon cabinet.*

*- L'avez-vous ?, me demanda-t-il anxieusement, en me serrant le bras.*

*- Vous pourriez au moins vous présenter !, lui dis-je.*

*- Je vous demande pardon, Dr Lanyon, répondit-il. Mon impatience me fait oublier les bonnes manières. Je suis venu ici pour le Dr Henry Jekyll. J'ai cru comprendre que... »*

*Il fit une pause et porta la main à son cou. Je constatai qu'il avait peine à garder le contrôle sur lui-même.*

*- « J'ai cru comprendre que... le tiroir...*

*- Le voilà », dis-je.*

*Il courut vers l'objet, s'arrêta et mit la main sur son cœur. Je pouvais entendre le grincement de ses dents. Il était pâle comme la mort. Je craignais autant pour sa vie que pour sa raison. En apercevant le contenu du tiroir, il poussa un grand soupir de soulagement.*

*Quelques instants plus tard, d'une voix qui démontrait cette fois qu'il avait repris le contrôle de lui-même, il me demanda une éprouvette graduée. Il y versa quelques gouttes du liquide rouge et ajouta un peu de poudre.*

*Au départ, le mélange était rouge. Peu à peu, il se mit à bouillonner et à faire de la fumée. Puis le mélange passa du rouge au violet et vira lentement au vert turquoise. Mon visiteur sourit en se tournant vers moi.*

*- « Et maintenant, dit-il, allez-vous me laisser partir avec cette éprouvette sans poser de questions, ou me demanderez-vous de rester ? Si vous le faites, un nouveau monde s'ouvrira à vous. Vous serez alors témoin de quelque chose que vous n'auriez jamais osé imaginer.*

*- Monsieur, dis-je, en essayant d'avoir l'air détaché, vous faites*

*des énigmes et je ne crois pas que vous ayez quoi que ce soit de spectaculaire à me montrer. Je vous demanderais de vous retirer avant qu'il ne soit trop tard.*

*- Bien, répondit l'étranger. J'espère, Dr Lanyon, que vous vous rappelez votre serment. Je suis ici en qualité de patient. Vous ne pourrez donc dire à personne ce qui s'est passé ici. »*

*J'approuvai de la tête, et il sourit d'une manière étrange.*

*- « Vous avez mis le doigt sur des choses que vous ne comprenez pas, Lanyon, ajouta-t-il. Maintenant, regardez bien ! »*

*Il porta l'éprouvette à sa bouche et en avala le contenu d'une seule gorgée. L'homme poussa un cri de douleur et fut agité de spasmes inquiétants. C'est alors que le changement se produisit. Il semblait enfler. Son visage se noircit, puis sembla fondre. Je bondis sur mes pieds et me réfugiai le long du mur, à l'autre bout de la pièce, en proie à une grande terreur.*

*Sous mes yeux, à quelques mètres de moi, pâle et tremblant, ses mains tâtant le sol comme un mort qui revient à la vie, se tenait... le Dr Henry Jekyll ! Il m'avoua que la créature qui s'était présentée chez moi ce soir-là — et qui s'était transformée en Jekyll sous mes yeux — était connue sous le nom de Hyde. Ce personnage était recherché dans tous les coins du pays pour le meurtre de Sir Danvers Carew. »*

Ainsi se terminait la lettre que le Dr Lanyon avait laissée à M. Utterson. Elle permettait à l'avocat de comprendre certaines choses, mais il y avait encore plusieurs questions qui restaient sans réponses.

LA CONFESSION DE JEKYLL

Après qu'il eut terminé la lecture de la lettre du Dr Lanyon, Utterson ouvrit la grosse enveloppe qui contenait la confession de Jekyll. Voici le contenu de cette lettre. Elle explique le tragique destin du Dr Jekyll.

*« Toute ma vie, j'ai eu une double personnalité. Une partie de moi était noble et bonne, mais une autre ne l'était pas du tout. Cette mauvaise partie de moi a toujours été égoïste et elle ne pensait qu'à son propre plaisir.*

*Mes plaisirs, s'ils ont toujours été condamnables, n'avaient rien de méchant. Ce que je voulais le plus dans la vie, c'était d'être respecté, admiré et vénéré.*

*J'ai donc appris à cacher une partie de moi-même aux yeux des autres. Un jour, je me suis mis à* imaginer que je pourrais me séparer en deux et me débarrasser de la partie méchante de ma personnalité sans déclencher la culpabilité de son jumeau plus gentil. Mon côté bon pourrait ainsi poursuivre son chemin, aidant ses semblables sans n'être plus jamais inquiété des mauvais desseins de son double.

Je crois que mes recherches scientifiques ont contribué à faire la lumière sur la guerre que se sont livré mes deux personnalités.

Au fil des ans, je découvris que certains composés chimiques pouvaient révéler l'âme des gens. Sous l'emprise de telles drogues, l'une des âmes pouvait forger le corps à son image.

Je dis "l'une des âmes", parce que je crois que nous avons tous différentes personnalités. En ce qui me concerne, je ne m'intéressai qu'à deux d'entre elles : la bonne et la mauvaise. Je créai alors une drogue qui me permettrait de révéler le côté caché de mon être.

J'hésitai longtemps avant de tester ma découverte, mais un jour, je parvins à surmonter ma peur. J'avais préparé ma formule rouge depuis longtemps et commandé à un chimiste la poudre que je devais y ajouter.

Un soir, tard dans la nuit, je mélangeai ces deux éléments et les regardai bouillonner et réagir entre eux. Prenant mon courage à deux mains, je bus la potion que je venais de préparer.

Je ressentis une grande douleur : c'était comme si on me broyait les os ; une douleur plus vive que celle de la naissance ou de la mort.

Après quelques minutes, la

douleur se fit moins vive et je me sentis un peu comme si je relevais d'une longue maladie. La sensation était très bizarre, un peu comme si j'étais devenu un autre homme. En même temps, c'était très agréable. Je me sentais plus jeune, plus heureux, plus léger.

Je savais que ce nouveau moi était plus méchant, mais j'adorais cela. En levant les bras vers le ciel, je me rendis compte que j'étais plus petit. Je crois — mais je n'en suis pas sûr — que Hyde était beaucoup plus petit que Jekyll parce que les neuf dixièmes de ma vie avaient été habités par Jekyll, qui était un homme bon. C'est pour cette raison que Hyde n'était pas aussi achevé que Jekyll.

Plus tard, je remarquai autre chose concernant Hyde. Tous ceux qui le voyaient le détestaient. Je crois que c'est parce qu'il était essentiellement vil. Il était la méchanceté incarnée. En sentant cela, les gens étaient naturellement portés à le haïr.

La première nuit où je vécus dans la peau de Hyde, j'appris beaucoup de choses sur lui. Je devais d'abord voir de quoi j'avais l'air lorsque je me transformais. Comme mes serviteurs mettraient encore longtemps avant de se réveiller, je quittai mon laboratoire et montai à ma chambre pour me regarder dans la glace. Je vis alors à quoi ressemblait Edward Hyde !

Devant cette image dans la glace, je ne ressentis aucun désarroi. Je me sentais plutôt bien dans la peau de cet homme.

Il me restait quand même une expérience à faire. Je retournai dans mon laboratoire, bus de la potion pour une seconde fois et redevins Henry Jekyll. Quel soulagement !

Mon plus grand souhait venait d'être exaucé. Je pouvais faire tout ce que je voulais. Et, peu importe mes actions, je n'avais qu'à me réfugier dans mon bureau pour redevenir, en quelques minutes, le bon Dr Jekyll.

Je me livrai à de minutieux préparatifs pour faire face à ma double vie. Je meublai une maison à Soho et dis à mes serviteurs que M. Hyde (que je leur décrivis) avait la permission d'aller et venir dans ma maison. Je rédigeai ensuite le testament qui vous a tellement troublé.

Ensuite, j'assouvis tous mes appétits. Comme je vous l'ai dit, les plaisirs qui étaient les miens étaient indignes. Entre les mains d'Edward Hyde, ils devinrent tout simplement monstrueux.

Lorsque je retrouvais ma véritable identité, je me demandais toujours ce que j'avais bien pu faire. Mais c'était Hyde qui avait fait tout cela. Hyde était coupable. Voilà ce que je me disais.

J'étais certain que personne ne ferait jamais le lien entre l'infâme M. Hyde et le sympathique Dr Jekyll. J'étais convaincu que le destin s'était rangé de mon côté.

Or, deux mois avant le meurtre de Sir Carew, je me réveillai en sursaut au beau milieu de la nuit. Je regardai mes mains : l'une était déformée et couverte de poils. Ce n'était pas la main de Jekyll, mais bien la main de Hyde. Je courus vers le miroir et me rendis compte que c'était bien vrai : j'étais allé dormir en Jekyll et je me suis réveillé en Hyde.

Pris de panique devant cette constatation, je déambulai dans la maison, sans me soucier du regard horrifié de mes domestiques. Dans mon bureau, je bus un peu de ma potion et, heureusement, je redevins Henry Jekyll.

Le lendemain matin, devant un petit déjeuner que l'angoisse m'empêcha d'avaler, je pus enfin m'expliquer un peu ce qui s'était passé. Je m'étais transformé en Hyde tant de fois que celui-ci devenait à présent plus fort. Il arrivait même que, pour revenir dans la peau de Jekyll, je doive doubler la dose de potion. Une fois, je risquai même ma vie en prenant trois doses de cette drogue.

Ce matin-là, tout devint clair pour moi : si je continuais à me transformer en Hyde, je finirais par demeurer dans la peau de cet homme. Je devais faire un choix.

Cela peut vous paraître simple, Utterson, mais si je choisissais de rester Jekyll, je devais mettre fin à tous ces plaisirs qui étaient les miens. En contrepartie, si je choisissais Hyde, je ne me soucierais plus de ce que j'avais perdu.

J'hésitai à prendre cette décision pendant longtemps. Je me contentais d'être Jekyll, mais je commençais à être torturé par les plaisirs que je sacrifiais ainsi. Hyde luttait en moi pour revenir à la vie. Dans un moment de faiblesse, j'avalai à nouveau la potion.

Mon côté mauvais était demeuré en cage trop longtemps et il en sortit déchaîné. Hyde rencontra Sir Carew dans la rue et le tua sans raison apparente, un peu comme un enfant brise un jouet.

Ce n'est que lorsque je me fus épuisé à force de frapper le pauvre Carew que je pris conscience de ce que je venais de faire. Si je me faisais prendre, je serais pendu pour meurtre. Je me rendis dans la maison que j'avais louée à Soho et détruisis tous les papiers qui auraient pu permettre de me retrouver.

Ce soir là, lorsque je redevins Jekyll, je tombai à genoux, pleurant et implorant Dieu de me pardonner. Les jours passèrent et mes remords s'envolèrent. Ils furent graduellement remplacés par une grande joie. Mon problème à décider qui j'allais choisir venait d'être résolu.

On avait vu Hyde tuer Sir Carew. Que je le veuille ou non, je devais demeurer Jekyll ou faire face à la justice.

Je détruisis la clé de la porte de mon laboratoire afin de ne plus jamais m'y rendre. Je décidai aussi de tenter d'apprivoiser le méchant côté de ma personnalité. Vous l'avez vu, l'an dernier, alors que je tentais d'apaiser les souffrances de mes semblables. Mais malgré tous ces efforts, j'étais tout de même prisonnier de ma double nature.

Je ne songeais plus à ramener Hyde à la vie. Je n'osais tout simplement plus. Ce fut donc à titre d'homme ordinaire que je succombai à la tentation et me livrai à l'un de mes plaisirs secrets comme au temps où je n'avais pas encore découvert comment me transformer. Ce dernier voyage vers la déchéance allait me détruire...

C'était une belle journée de janvier. J'étais assis dans le parc, lorsqu'un grand frisson me parcourut de part en part. J'étais étourdi et je ne savais plus très bien où je me trouvais. Mes vêtements étaient devenus trop grands et mes mains recouvertes de poils. Contre mon gré et sans drogue, j'étais redevenu M. Hyde !

Un instant plus tôt, j'étais un homme respectable, maintenant j'étais devenu un meurtrier recherché. Toute la police d'Angleterre était à mes trousses et je n'avais nul endroit où me cacher. Je ne pouvais plus retrouver mon apparence de Dr Jekyll, parce que je n'avais pas de potion avec moi. Il m'était impossible de rentrer à la maison parce que je n'avais plus la clé de mon laboratoire. De toute façon, si j'avais franchi le seuil de la porte, mes serviteurs m'auraient livré à la police.

J'appelai alors un taxi et me fis conduire dans un hôtel de Portland Street. Là, je pris une chambre et y écrivis deux lettres. Une pour Lanyon et une pour Poole. Je passai ensuite toute la journée dans ma chambre, en me rongeant les ongles. La nuit tombée, je partis dans les rues de la ville, en longeant les murs pour ne pas être vu.

Sa tête mise à prix, il ne restait plus dans le terrible enfant du diable que j'étais lorsque je devenais Hyde que de la haine et de la méchanceté.

Lorsque je trouvai enfin chez Lanyon la potion qui me permit de redevenir le respectable Dr Jekyll, je n'avais plus peur de la pendaison. Je n'avais peur que d'une chose : redevenir Hyde. Je regagnai mon domicile comme dans un rêve et je m'endormis.

Au matin, le cauchemar reprit de plus belle. Je venais à peine de terminer mon petit déjeuner que je sentis approcher un autre changement de personnalité. J'eus à peine le temps de regagner mon bureau que j'étais redevenu de *nouveau M. Hyde.*

*J'absorbai une double dose de potion pour retrouver mon état normal. Six heures plus tard, Hyde refit surface et je dus prendre une autre dose.*

*Depuis ce jour, je dois faire des efforts surhumains pour demeurer dans la peau du Dr Jekyll. Je peux me transformer soudainement, à n'importe quelle heure du jour ou de la nuit. Si je m'endors une seule minute dans un fauteuil, je me réveille toujours en Hyde.*

*Tout cela allait être bientôt fini. Ma provision de poudre était presque épuisée. Je tentai d'en acheter d'autre, mais lorsque je la mélangeai à ma formule, je constatai que seul le premier changement de*

*couleur se faisait. Je bus quand même la potion, mais sans résultat.*

*Poole pourra vous raconter comment je l'ai envoyé chercher cette poudre à travers toute la ville. Je crois maintenant que ma première provision de poudre n'était pas pure, et que ce sont ces impuretés qui causèrent ma perte.*

*Une semaine passa. Je terminai la rédaction de cette lettre sous l'effet de la dernière dose de poudre. Je savais que c'était la dernière fois que Jekyll avait l'occasion de livrer ses pensées et de se regarder dans la glace.*

*Je redeviendrai bientôt M. Hyde, pour toujours. Ma confession raconte le triste destin de Jekyll et Hyde. Et parce que Hyde est un vil personnage, je ne peux pas permettre que cela continue.*

*Au moment où je rédige cette lettre, je mets un terme définitif aux vies malheureuses du Dr Jekyll et de M. Hyde.*

*Henry Jekyll »*